Bibliothèque publique de la Municipalité de La Nation
Succursale ST-ISIDORE Branch
The Nation Municipality Public Library

0 8 JUIL. 2010

D1406093

LA NATION / ST-ISIDORE

IP036346

Violette

Tania Duprey Stehlik

Illustrations de Vanja Vuleta Jovanovic

Texte français d'Isabelle Allard

Éditions
■ SCHOLASTIC

Violette pointe le nez hors des couvertures. C'est la journée qu'elle craignait le plus depuis qu'elle et ses parents ont emménagé dans la nouvelle maison.

— Lève-toi, Violette! lui lance sa mère de la porte. Tu ne voudrais quand même pas être en retard pour ta première journée d'école!

— Je ne me sens pas bien, gémit Violette. J'ai mal au ventre.

— C'est seulement un peu de nervosité, lui dit sa mère. Ça va passer.

— Non, c'est pire que ça. C'est grave... C'est peut-être contagieux!

— Ça ne prend pas avec moi, mademoiselle! Allez, debout!

Violette se lève et va déjeuner. Son lunch est prêt. Il l'attend sur le comptoir.

— J'espère qu'il est super bon, dit-elle en glissant le repas dans son sac d'école. Comme ça, je pourrai l'échanger avec quelqu'un. Cela m'aidera peut-être à me faire des amis.

— Oh, Violette! gronde sa mère, reste donc toi-même. Tu n'as pas besoin de donner ton repas pour te faire des amis.

Ça ne peut pas faire de mal, se dit Violette en suivant sa mère d'un pas traînant hors de la maison.

En chemin, le cœur de Violette bat la chamade.
Elle voit des enfants qui se dirigent vers les portes de l'école.
Il y a des enfants rouges, des jaunes, des bleus... et il y a
Violette.
Sa mère lui fait un gros câlin.
— Au revoir, ma chérie. Je suis certaine que tu vas passer
une bonne journée. Papa viendra te chercher après la classe.
Violette traverse lentement la cour de l'école, en faisant de
son mieux pour passer inaperçue.

Dans la classe, quelle animation!
Tant d'activités passionnantes
s'annoncent : bricolage, dessin...
Tout le monde est très gentil, et
Violette oublie bientôt sa nervosité.
Elle échange même une partie de
son lunch avec une fille qui vient
s'asseoir à côté d'elle à la cafétéria.
Puis, tout à coup, l'école est finie.

Violette sort dans la cour et cherche son père des yeux. Elle reste près de ses camarades en l'attendant. Il y a des enfants rouges, des jaunes et des bleus.

Elle est en train de leur raconter comme elle était nerveuse ce matin, lorsque son père arrive en voiture. Il lui fait signe de monter.

— Viens, Violette! crie-t-il. Il faut partir!

— Qui est-ce? demande une fille de sa classe.

— C'est mon père, répond fièrement Violette.

— Ton père? dit la fille, étonnée. Ton père est BLEU?

— Euh... oui, réplique Violette sans trop comprendre.

— Pourquoi est-il bleu et pas toi?

Violette n'en sait rien. En fait, elle ne s'est jamais posé la question.

Elle hausse les épaules et court vers la voiture.

Violette est silencieuse durant le trajet. Elle pense à ce que lui a dit sa camarade. Elle s'inquiète de nouveau à l'idée de ne pas être acceptée. Pourquoi n'est-elle pas bleue? Ou rouge?

Maman est rouge. Papa est bleu. Alors, pourquoi n'est-elle pas bleue ou rouge? À bien y penser, tous ses amis rouges ont des parents rouges. Ses amis jaunes ont des parents jaunes. Ses amis bleus ont des parents bleus. Mais elle, pourquoi est-elle violette?

Sa mère l'attend dans la cuisine.

— Alors, comment s'est passée ta journée? T'es-tu fait de nouveaux amis?

Violette se met à pleurer à chaudes larmes.

— Qu'est-ce qu'il y a? demande sa mère en lui essuyant les joues.

— Pourquoi ne suis-je pas bleue? demande Violette.

— Ooooh! dit sa mère. Quelqu'un t'a-t-il posé la question à l'école?

Violette hoche la tête.

— Eh bien, je suis rouge et ton père est bleu. Et toi, ma belle, tu es un mélange de nous deux.

Violette ne comprend pas. Sa mère sort des tubes de peinture.

— Regarde, dit-elle. Si on prend du rouge et qu'on le mélange avec un peu de bleu, on obtient une jolie couleur violette. C'est une couleur mixte.

— Alors, je suis un mélange de bleu et de rouge? demande Violette. Mais personne n'a une couleur mixte dans ma classe.

— Peut-être pas dans ta classe, mais beaucoup d'enfants sont de couleur mixte, comme toi.

— Est-ce qu'il y en a d'autres qui sont *violets*? demande Violette.

— Bien sûr! Les gens sont de toutes les couleurs, des couleurs aussi belles que celles de l'arc-en-ciel! Mais tu sais, Violette, tu ne devrais pas te soucier de ressembler aux autres. Sois toi-même. Les gens devraient t'aimer pour ce que tu es, peu importe ta couleur.

Le lendemain passe aussi vite que
la première journée. Quand l'école
est finie, Violette attend sa mère.
— Qui est-ce? demande un
garçon de sa classe.

— C'est ma mère, dit Violette
plus fière que jamais.
— Ta mère est rouge? dit le
garçon, surpris.
— Oui, dit Violette en souriant.
Ma mère est rouge, mon père
est bleu, et moi...

... je suis Violette!